Washington Irving
(adaptación)

El jinete sin cabeza

D1280255

SELECTOR®
actualidad editorial

SELECTOR
actualidad editorial

Doctor Erazo 120 Colonia Doctores México 06720, D.F.
Tel. (52 55) 51 34 05 70 Fax. (52 55) 57 61 57 16

EL JINETE SIN CABEZA -ADAPTACIÓN-
Adaptadora: Alicia Alarcón
Colección: Clásicos para niños

Adaptación de la obra original: *La leyenda del jinete sin cabeza,* de Washington Irving

Diseño de portada e ilustraciones: Guillermo Graco Castillo Reynoso

D.R. © Selector, S.A. de C.V., 2008
        Doctor Erazo, 120, Col. Doctores
        C.P. 06720, México, D.F.

ISBN 10: 970-803-066-X
ISBN 13: 978-970-803-066-3

Décima Cuarta reimpresión. **Agosto** 2015.

Sistema de clasificación Melvil Dewey

868
A116
2008/

Irving, Washington.
El jinete sin cabeza -adaptación- / Washington Irving; adapt. Alicia Alarcón.--
Cd. de México, México: Selector, 2008.
80 pp.
ISBN 10: 970-803-066-X
ISBN 13: 978-970-803-066-3

1. Literatura. 2. Narrativa. 3. Cuento.

Índice

Introducción   5

El pueblo de Sleepy Hollow   7

La leyenda del jinete sin cabeza   11

Ichabod Crane   13

La música   21

El amor   25

Baltus van Tassen   33

La fiesta   41

El regreso   55

El jinete sin cabeza   63

Plática en Nueva York   73

Introducción

Desde tiempos inmemoriales, la aparición de fantasmas, demonios y otros seres sobrenaturales y malignos ha llamado la atención del ser humano pues su presencia no es benéfica ni para las personas, ni para los animales y menos para la naturaleza.

Washington Irving aprovecha esta fascinación para abordar una leyenda que recorre el mundo y cuyo origen se remonta a la historia de un soldado que pierde la cabeza en el fragor de una batalla y, ya muerto, decide recuperarla a costa de lo que sea. Es la historia conocida como *La leyenda del jinete sin cabeza*.

En realidad, el autor estadounidense no pretende hablar plenamente en esta obra del espectro en sí mismo, sino utilizarlo para escribir acerca de sentimientos como el miedo, los celos, la ambición, la solidaridad y la lealtad, entre otros.

También se refiere a la forma en que la imaginación, llamada injustamente "la loca de la casa", siendo alborotada o sacudida por un acontecimiento especial, es capaz de crear sonidos, imágenes y otras representaciones.

Por esta y otras razones, te invitamos a leer esta obra, que te llevará a conocer la leyenda popular, además de hacerte reflexionar.

El pueblo
de Sleepy Hollow

"No existe situación en la vida que no tenga sus ventajas y sus placeres, siempre que no nos veamos obligados a entenderla mediante una broma; en consecuencia, quien se atreve a competir con un fantasma, es probable que salga mal parado de la situación".

—Washington Irving

En el seno de una de las espaciosas ensenadas que recortan la ribera oriental del río Hudson, en Tappan Zee, hay un pequeño valle rodeado de elevadas colinas, que es uno de los lugares más tranquilos del mundo. Lo atraviesa un riachuelo, cuyo suave murmullo invita al descanso, y en el que, ocasionalmente, el silbido de una codorniz o el martilleo de un pájaro carpintero rompen la monotonía.

Por el silencio impresionante del lugar y el carácter peculiar de sus habitantes, descendientes de los primeros colonos que llegaron a Estados Unidos provenientes de Holanda, este valle es conocido como Sleepy Hollow, es decir, el Valle Dormido y en él sus habitantes son conocidos como "la gente del valle Dormido".

Un aire de siesta y sueños parece impregnar esa tierra, pues cuentan que el lugar está embrujado desde que llegaron los primeros habitantes, lo que ocurrió poco después de que el capitán Hendrick Hudson descubriera esta región.

Dicen que el lugar sufrió el influjo de algún poder mágico, que embrujaba las mentes de la gente buena que lo habitaban, razón por la que siempre caminaban como si estuvieran soñando.

Tal vez por esto, ellos creían en todo tipo de sucesos fantásticos, pues sufrían trances y visiones y, con frecuencia, aseguraban observar hechos sobrenaturales, además de escuchar música y voces en el aire.

La leyenda del jinete sin cabeza

El espíritu dominante que habita este sitio encantado se debe a la aparición de un fantasma, cuya historia es conocida en el pueblo y sus alrededores.

Se cuenta que es el fantasma de un soldado a quien un cañonazo le arrancó la cabeza. El cuerpo del soldado fue enterrado en el cementerio de la iglesia, y dicen que, al oscurecer, su fantasma sale de allí a buscar su cabeza, debiendo regresar antes del amanecer.

Desde entonces, hay gente que afirma haber visto cómo su cuerpo galopa por las noches montado en su veloz caballo, buscando su cabeza. Todos en la zona le conocen con el nombre de El jinete sin cabeza.

Ichabod Crane

No obstante, en este rincón del mundo vivió un buen hombre llamado Ichabod Crane, que residió –o como le gustaba decir a él mismo– "estuvo de paso" en Sleepy Hollow, con el fin de instruir a los niños del pueblo. Hombre de gran cultura, le gustaba mucho leer.

El apellido de este hombre, Crane que significa cigüeña, le quedaba a la perfección pues era alto, sumamente flaco, con hombros estrechos, brazos y piernas largas, manos enormes y pies que parecían palas para la nieve.

Por esta razón, todo su cuerpo daba la impresión de estar a punto de deshacerse, ya que tenía la cabeza pequeña y achatada, orejas gigantescas y grandes ojos verdes.

Además, como si esto no fuera suficiente, su larga nariz daba la impresión de estar buscando algo abajo. Todo él parecía una veleta que indicaba la dirección del viento.

Su escuela era un edificio bajo de una sola habitación, construida con troncos; algunas ventanas tenían vidrios, pero otras sólo estaban recubiertas con hojas de cuadernos viejos.

Este edificio se encontraba en un lugar muy solitario pero agradable al pie de los bosques de una colina, por donde pasaba un pequeño arroyo.

Este maestro era un hombre muy consciente, que no dejaba de aplicar nunca la máxima de oro: "la letra con sangre entra" y como quería que sus alumnos aprendieran, usaba la palmeta muy constantemente. También administraba justicia de una manera muy particular pues aunque los débiles se portaran mal, él consideraba que quienes mejor resistían los castigos eran los fuertes, así que era a ellos a quienes golpeaba.

Sin embargo, cuando terminaban las clases se convertía en el compañero de juegos de los niños más grandes, y durante las vacaciones, en las tardes sacaba a pasear a los más pequeños, para que los acompañaran sus hermanas, sobre todo si eran bonitas. También invitaba a

estos paseos a las madres que sabían cocinar bien para que lo invitaran a comer, pues a pesar de ser delgado siempre tenía hambre y poco dinero.

Como era costumbre en los pueblos, los vecinos eran los encargados de alimentar al maestro y ofrecerle un lugar para dormir, así que los mismos granjeros le daban comida y alojamiento en su casa. De esta manera, vivía una semana con cada uno. Además sus efectos personales eran tan pocos que los llevaba atados en un pañuelo de algodón cada vez que se mudaba.

Ichabod se las ingeniaba para resultar útil y no ser una carga para los demás. Ayudaba a los granjeros con el heno, reparaba cercas, llevaba los caballos a beber, recogía las vacas de sus pasturas y cortaba leña para el invierno.

Además, se sabía ganar la simpatía de las madres por la manera en que atendía a los niños, en especial a los más pequeños.

Se sentaba con un niño en las rodillas a la vez que con el pie mecía la cuna de otro durante horas.

Y entre las señoras era muy bienvenido debido a su plática y a las frutas que les recogía en el campo. Ellas a su vez se esmeraban por atenderlo y le ofrecían pasteles y dulces. También, el maestro les leía las inscripciones de las sepulturas o las acompañaba a pasear por la orilla del lago.

La música

Por si fuera poco, también era el maestro de canto del vecindario y ganaba un dinero extra enseñando a los más jóvenes a cantar. Se sentía orgulloso de estar en la iglesia al frente del coro de voces escogidas, donde su voz sonaba con más fuerza que la de los demás.

Ichabod, que iba de un lado a otro, se convirtió en una especie de periódico ambulante pues platicaba de casa en casa los acontecimientos de la comarca, por lo que su llegada era siempre bien recibida. Además como poseía la *Historia de la brujería en Nueva Inglaterra*, de Cotton Mather y la platicaba con gran entusiasmo y sabiduría, su popularidad iba en aumento.

Como a toda la gente de la región, le encantaba platicar sobre hechos extraños y sobrenaturales y, a veces, él mismo era víctima de sus historias. A menudo, Ichabod se acostaba junto

al arroyo para leer alguna de las narraciones llenas de suspenso de su libro de brujas hasta que llegaba la noche y, con su oscuridad, le impedía leer más.

Entonces se trasladaba a la casa donde se hospedaba; sin embargo, sufría durante todo el camino, pues cualquier ruido lo asustaba; así que, para distraerse y alejar los malos espíritus, entonaba uno de los salmos y su voz retumbaba por todo el pueblo.

También le gustaba pasar largas tardes de invierno en compañía de las señoras contando terroríficas historias de fantasmas y duendes, así como de campos, arroyos, puentes y casas encantadas. No obstante, lo que más le agradaba era hablar del "jinete sin cabeza" o el "soldado galopante", como algunas veces lo llamaban.

El amor

Todo iba bien para él hasta que un día se cruzó en su camino algo que causa a los mortales mayor perplejidad que todos los fantasmas, duendes y brujas juntos: ¡el amor!

Entre sus alumnos de música estaba Katrina van Tassel, hija única de uno de los granjeros más ricos de la región. Era una bellísima joven de dieciocho años de quien todos los jóvenes estaban enamorados. Ella, consciente de su hermosura y de su encanto, aceptaba las atenciones de todos, pero sin comprometerse con ninguno.

Ichabod Crane, aunque no era tan joven, tenía un corazón tierno y atolondrado por lo que se sintió atraído por la heredera del viejo Baltus van Tassel, un granjero próspero, feliz y generoso.

Cuando Crane entró en la casa de Baltus van Tassel, su corazón se rindió por completo.

Era una espaciosa granja con techo elevado. Los aleros bajos formaban una galería hacia fuera, que podía cerrarse en caso de mal tiempo. A los lados había bancas para sentarse durante el verano.

La sala era el centro de la casa y el lugar de las reuniones familiares. Luego seguía el salón principal, donde las patas de las sillas terminaban en forma de garra y las mesas de caoba brillaban como espejos. En una esquina, en un anaquel abierto a propósito, se exhibía un inmenso tesoro de plata antigua y porcelana china.

Cerca de la cómoda y alegre casa había un granero tan grande que hubiera podido servir como iglesia; sus ventanas y rendijas parecían que iban a estallar con las provisiones que guardaba de la granja.

Al profesor se le hacía agua la boca cuando contemplaba todas aquellas riquezas. Se imaginaba casado con la bella Katrina y disfrutando de la carne, las aves, las frutas, los pasteles, y todas las cosas deliciosas que se guardaba en la despensa.

Por esta razón, Ichabod decidió conquistar el corazón de esa campesina coqueta, perdida en un laberinto de caprichos y extravagancias y, por supuesto, en la fortuna de su padre. La labor no era fácil. Tenía que enfrentarse a otra legión de adversarios de carne y hueso que eran ni más ni menos, los simples y numerosos admiradores de Katrina.

Entre ellos, se encontraba el más temible: un joven fuerte, fanfarrón y alegre, llamado Abraham o, de acuerdo con la lengua holandesa, Brom van Brunt, a quien los pobladores de la región lo consideraban una especie de héroe por sus hazañas de fuerza y resistencia.

Era ancho de espaldas, de cabello negro, rizado y corto; su aspecto era rudo pero no desagradable. Mostraba siempre un aire de arrogancia y burla. Por su constitución física y la fuerza de sus brazos, era conocido con el apodo de Brom Bones, "El forzudo".

También era famosa su destreza con los caballos; era un magnífico jinete que ganaba en todas las carreras y las peleas de gallos en las que se presentaba.

Su temperamento nacía más de la travesura que de la mala intención, y a pesar de su rudeza, tenía buen humor. En todas sus aventuras lo seguían tres o cuatro jóvenes que lo consideraban un modelo a imitar.

Algunas veces paseaban a caballo, gritando a medianoche cerca de las granjas. Los vecinos los miraban con una mezcla de temor, admiración y simpatía.

Hacía tiempo que este héroe salvaje había elegido a la bella Katrina como objeto de sus galanterías, y aunque sus caricias parecían las de un oso, a la joven no le desagradaban. Ése era el gran rival contra quien Ichabod Crane debía enfrentarse.

Brom hubiera querido resolver este asunto en campo abierto, pero Ichabod estaba consciente de la gran superioridad física de su adversario para entrar en una batalla con él.

Como hubiera sido una locura batirse en duelo contra ese hombre, Ichabod prefirió buscar el amor de Katrina de un modo tranquilo y gentil y empezó a visitar la granja con frecuencia con la excusa de dar sus clases de canto.

Baltus van Tassen

Baltus van Tassen era un hombre tranquilo y agradable que amaba a su hija por encima de cualquier cosa. Sin embargo, le permitía hacer todo lo que quería. Pero también, Katrina se ocupaba de la casa y del gallinero, pues decía sabiamente, que las muchachas pueden cuidar de sí mismas, pero los animales, no.

Ichabod aprovechaba estas situaciones para seguir enamorando a la chica bajo el olmo o paseando por la granja al atardecer.

Desde el momento en que el maestro mostró su interés por Katrina, pareció que Brom Bones dejó de mostrar atracción por ella, por lo que su caballo ya no aparecía amarrado los domingos por la tarde en la entrada de la granja.

Sin embargo, poco a poco fue creciendo el odio entre él y Crane. La conducta aparentemente pacífica del maestro de Sleepy Hollow obligó a Brom a recurrir a su crudo sentido del

humor y convertir a su rival en objeto de toda clase de burlas.

Ichabod se volvió la víctima de las caprichosas persecuciones de Bones y su banda. Se metían en sus tranquilos dominios; tapaban la chimenea, ahumaban la escuela y provocaban la suspensión de sus clases de canto. Por la noche, entraban en el aula y lo revolvían todo, por lo que el pobre maestro comenzó a pensar que las brujas de la región se reunían allí para destruirle la vida.

Lo que era todavía más molesto era que Brom aprovechaba todas las ocasiones para ridiculizarlo en presencia de la joven; incluso tenía un perro vagabundo al que había enseñado a aullar de una manera extravagante y al que presentaba como el competidor de Ichabod para dar sus clases de canto a Katrina.

Una hermosa tarde de otoño, Ichabod había recogido a los alumnos diversos artículos de contrabando, como manzanas mordisqueadas y jaulas para moscas, así como armas prohibidas, por ejemplo, resorteras, pistolas de juguete, y una legión de gallitos de pelea en papel.

Una vez la clase en calma, Crane se sentó en el alto sillón desde donde observaba a sus alumnos, que, temerosos, miraban fijamente sus libros o cuchicheaban con disimulo, viéndolo de reojo.

De pronto, se interrumpió el silencio con la llegada de un hombre de color, vestido con chaqueta, pantalones de estopa y sombrero de copa que iba montado en un potro flaco, al que guiaba con una soga como rienda. Éste se acercó hasta la puerta de la escuela y entregó una invitación para Ichabod a fin de que asistiera a una fiesta que iban a dar esa noche en casa del señor Baltus van Tassel.

Ahora todo era bullicio en la antes tranquila aula. Los alumnos se apresuraron a terminar. Los más vivos se saltaron sin vergüenza más de la mitad de las secciones, y los lentos recibieron alguna que otra tunda para que se apuraran o para ayudarles a terminar con las palabras más largas. Por esta ocasión, los libros fueron dejados fuera de las estanterías; los bancos quedaron patas arriba y la escuela se vació una hora antes que de costumbre.

Por su parte, Ichabod dedicó media hora más de lo normal a su cuidado personal. Cepilló y arregló su mejor y, por cierto, único traje negro, y trató de mejorar su aspecto frente a un espejo roto. Deseaba presentarse ante su amada como un auténtico caballero por lo que también pidió prestado un caballo al viejo y corajudo holandés, Hans van Ripper, en cuya casa se hospedaba por esos días.

Pólvora, era el nombre del maltrecho caballo que había sobrevivido a todo, excepto a sus defectos: era flaco y peludo, tenía el mismo cuello que una oveja y la cabeza como un martillo; sus crines y su cola estaban enredadas. Su único ojo útil había perdido la pupila, por lo que lucía blanquecino y espectral, aunque el otro brillaba con una luz diabólica.

Esto hacía de Ichabod una figura digna de tal caballo, pues montaba con estribos cortos y por eso las rodillas le quedaban cerca de la montura y sacaba los codos como las patas de un saltamontes. Así, cuando el caballo trotaba, el movimiento de los brazos de Ichabod recordaba el aleteo de un pájaro.

La fiesta

Esa hermosa tarde de otoño; el cielo estaba claro y sereno, y la naturaleza se había cubierto de ricos y dorados ropajes que se asocian con la idea de abundancia.

En tanto, Ichabod continuaba su camino a trote lento, lo que le permitía admirar las grandes extensiones de maizales con sus mazorcas doradas que asomaban de su envoltorio de hojas, anunciando ricos pasteles y budines.

Las calabazas amarillas a sus pies, mostraban al sol sus vientres redondos, anticipo del más lujoso de los dulces.

El sol se movía lentamente y las aguas del Tappan Zee yacían inmóviles y lisas. Unas cuantas nubes flotaban en el cielo, sin una brisa de aire que las moviera.

A lo lejos, una barca avanzaba sin prisa, con sus velas colgando de los mástiles. El reflejo del cielo sobre las tranquilas aguas daba

la impresión de que el barco iba flotando en el aire.

Al atardecer Ichabod llegó a la gran casa de Baltus van Tassel, en donde ya se hallaban reunidos algunos vecinos del pueblo y de sus alrededores: eran viejos granjeros de una raza de hombres de rostros curtidos, vestidos con chaquetas y pantalones de paño, medias azules y zapatos enormes con magníficas hebillas de peltre.

En cambio, sus mujeres, pequeñas y dinámicas, iban con cofias ajustadas a la cabeza, corsés largos y faldas de tejido hilado en casa. Las jóvenes eran regordetas y casi tan anticuadas como sus madres, excepto por un sombrero de paja, una cinta fina o quizás un vestido blanco, que estaba de moda en la ciudad. Por su parte, los muchachos llevaban chaquetas llenas de botones relucientes de bronce, y el cabello atado en una colita.

Sin duda alguna, Brom Bones era el héroe de la escena pues había asistido montado en su caballo favorito *Daredevil*, una criatura, igual que él, llena de bríos y caprichos, que

nadie más podía montar. Mientras el joven comía, no podía dejar de entusiasmarse ante la posibilidad de que algún día sería dueño y señor de aquel lujo y esplendor casi inimaginables.

Por otro lado, el viejo Baltus van Tassel se movía entre sus huéspedes con la cara plena de satisfacción y buen humor. Su hospitalidad era parca pero expresiva, reducida a estrechar la mano, dar una palmada en la espalda, lanzar una carcajada sonora e incitar a sus invitados a que se acercaran a la mesa y se sirvieran cuanto quisieran.

En el salón, comenzó a sonar música que invitaba a bailar. El músico era un anciano negro de pelo gris, que había sido parte de la orquesta itinerante del vecindario por más de medio siglo. Tocaba su instrumento, el cual estaba tan viejo y venido a menos como él mismo. En tanto, Ichabod se enorgullecía tanto de su habilidad para el baile como de sus condiciones vocales pues la dueña de su corazón era su compañera en el baile y le sonreía graciosamente en respuesta a sus amorosas miradas,

mientras Brom Bones, carcomido por el amor y los celos, se sentaba a solas en un rincón.

Cuando terminó el baile, Ichabod se acercó a un grupo de hombres que, junto al viejo Baltus van Tassel charlaban sobre los viejos tiempos y contaban historias de la guerra.

Más entrada la noche, también se contaron terribles historias de fantasmas y apariciones pues la comarca era rica en tesoros legendarios de esa clase, ya que las historias locales y supersticiones surgen mejor en esos lugares alejados donde la gente vive por largo tiempo.

Varios vecinos de Sleepy Hollow estaban presentes en la casa de Van Tassel y, empezaron a contar leyendas raras y maravillosas. Muchas de las historias tétricas que se relataron hablaban de cortejos fúnebres, gritos y gemidos oídos en torno del árbol en donde el desafortunado soldado había perdido su cabeza de un cañonazo.

También se habló de una mujer vestida de blanco que se aparecía en el valle, cerca de la Roca del Cuervo, y que a menudo profería alaridos que anunciaban una tormenta en las

noches de invierno, ya que ella había muerto allí, en la nieve. Sin embargo, la mayor parte de las historias giraba alrededor del fantasma favorito de Sleepy Hollow, el jinete sin cabeza, que últimamente había sido oído muchas veces, rondando la región, y de quien se comentaba que ataba de noche su caballo entre las tumbas de la iglesia.

Quien mirara el cementerio cubierto de hierba, donde los rayos del sol parecen dormir tranquilamente, pensaría que allí, al menos los muertos, pueden descansar en paz. A un costado de la iglesia se extendía una cañada boscosa que producía por la noche una espantosa oscuridad lo que hacía que éste fuera uno de los sitios favoritos del jinete sin cabeza y donde, afirmaban los presentes, se aparecía más a menudo.

También contaron la historia del viejo Brower, un hereje completamente escéptico respecto de los fantasmas, y a quien el jinete obligó a seguirle, galopando por bosques y praderas, colinas y pantanos hasta llegar al puente en que el aparecido se convirtió en un esqueleto y

arrojó al viejo Brower al arroyo, desapareciendo después entre las copas de los árboles.

Brom Bones, como buen jinete, se burló del espectro y contó que una noche se encontró con el soldado galopante, quien lo desafió a una carrera por un vaso de ponche y el joven hubiera ganado, pues su caballo *Daredevil* aventajaba al del fantasma. Sin embargo, al llegar al puente de la iglesia, el fantasma desapareció dejando tras de sí una llamarada de fuego.

Todos estos relatos dejaron una huella profunda en la mente de Ichabod, quien contó a su vez, una serie de maravillosos hechos que habían tenido lugar en su estado natal, Connecticut, y las terribles visiones que había presenciado durante sus caminatas nocturnas por Sleepy Hollow.

Por desgracia, la fiesta llegaba a su fin, los viejos granjeros y sus familias se despidieron y el sitio de la diversión quedó silencioso y desértico. Ichabod seguía allí, pues deseaba estar a solas con la heredera, completamente convencido de que ya estaba en el camino del éxito.

Pero algo salió mal, pues inesperadamente Ichabod se fue casi de inmediato y con aire desolado.

El regreso

Crane abandonó muy triste la casa, sin mirar a ningún lado para no ver aquel espectáculo de riqueza rural que antes le había fascinado, se dirigió al establo y con varios puñetazos y patadas levantó a *Pólvora*, que dormía profundamente.

Fue justo a la hora de las brujas cuando Ichabod, apesadumbrado, con el corazón roto, inició su viaje hacia la casa por los mismos bordes de las elevadas colinas por donde había pasado tan alegremente unas horas antes. La noche estaba sombría, como él.

En el silencio de la medianoche llegó a oír el ladrido de un perro guardián que provenía del otro lado del río Hudson, pero el sonido era tan vago y débil que sólo daba una idea de la distancia a la que él aún se encontraba. No se notaban más señales de vida que el ocasional y melancólico canto de un grillo y

el croar de una rana que se encontraban por los alrededores.

Por esta razón, acudían a su mente todas las historias de fantasmas y de espíritus que había escuchado. La noche se volvía cada vez más oscura; las estrellas parecían hundirse en el cielo y las nubes las ocultaban ocasionalmente. Ichabod nunca se había sentido tan solo y triste. Para colmo de males, se estaba acercando al lugar exacto de muchas de las escenas de aparecidos.

En el centro del camino se levantaba un árbol enorme, que sobresalía como un gigante entre los demás y servía como punto de referencia. No tenía hojas pero sí unas ramas retorcidas y fantásticas, que en la noche se veían amenazantes. Este árbol se hallaba relacionado con la trágica historia del jinete quien había sufrido el cañonazo muy cerca de allí, razón por la que todo el mundo le daba el nombre de "árbol del caído". La gente lo miraba con una mezcla de respeto y superstición debido a las historias de extrañas visiones y tristes lamentos que se contaban sobre él.

Cuando Ichabod se acercó al temible árbol, comenzó a silbar. Creyó que su silbido era respondido por alguien, pero sólo se trataba de una ráfaga de viento que golpeaba las ramas secas.

Al acercarse, creyó ver algo blanco que colgaba en el centro del árbol. Se detuvo y dejó de silbar, pero al mirar con más atención, vio que ése era el lugar en donde el rayo había dañado el árbol, dejando al descubierto la madera blanca. De pronto, escuchó un gemido y sus dientes empezaron a castañetear y sus piernas a temblar. Pero sólo se trataba de dos ramas que se rozaban una contra otra, empujadas por la brisa. Pese a todo, logró pasar a salvo el árbol, aunque nuevos peligros lo acechaban.

A unos doscientos metros, un pequeño río cruzaba el camino y corría hacia un lugar pantanoso, muy arbolado, conocido como el pantano de Willey. Unos cuantos troncos colocados uno junto a otro servían como puente para atravesar el riachuelo. Pasar por allí era la prueba más difícil, pues se le consideraba un arroyo encantado.

A medida que Crane se aproximaba al arroyo, el corazón empezó a latirle con fuerza. Sin embargo, hizo acopio de valor y decisión, espoleó a su caballo e intentó cruzar el puente a galope.

No obstante, en lugar de avanzar, el perverso y viejo animal hizo un movimiento lateral y corrió contra el cerco. Ichabod, cada vez más asustado, tiró con fuerza las riendas para el otro lado y apuró al caballo con el pie opuesto. Todo fue en vano. El animal se movió, pero para lanzarse hacia un bosque que estaba del lado contrario del camino.

El maestro usó la fusta y las espuelas contra las pobres costillas del viejo *Pólvora*, quien se lanzó de frente, relinchando y resoplando, para detenerse justo delante del puente con tanto ímpetu que casi tiró al jinete por tierra.

El jinete sin cabeza

En ese preciso momento, los sensibles oídos de Ichabod percibieron el rumor de unas pisadas que chapoteaban en el agua. Apareció un ser enorme, deforme, negro y muy alto. No se movía, pero parecía estar al acecho en las tinieblas, como un monstruo gigantesco dispuesto a lanzarse sobre el viajero.

Al maestro se le pararon los pelos de terror pues era demasiado tarde para dar vuelta y correr. Además, ¿qué posibilidad tenía de escapar de un fantasma o de un espíritu que corriera con las alas del viento?

Con ímpetu, aunque con la voz temblorosa, le preguntó al aparecido quién era. Pero no hubo respuesta. Repitió su pregunta con una voz todavía más nerviosa y una vez más tampoco le contestó nadie. Entonces, espoleó las costillas de *Pólvora*, y cerrando los ojos, empezó a cantar un salmo.

El ser fantasmal también se puso en movimiento y de un salto se plantó en medio del camino. A pesar de que la noche era oscura, se podía distinguir la silueta del desconocido. Parecía un jinete de grandes dimensiones. Montaba un caballo negro de gran tamaño. No hizo ningún gesto, sólo se situó en un costado del camino, avanzó al trote y se quedó junto al viejo *Pólvora*.

Ichabod espoleó su caballo con la secreta esperanza de dejar atrás al extraño jinete, como lo había hecho Brom Brones. Sin embargo, el espectro también apuró a su corcel y se volvió a situar al lado del maestro.

Entonces, Ichabod tiró de las riendas para quedar rezagado, pero el otro hizo lo mismo. El corazón del maestro latía intensamente. Se esforzó por retomar su salmo, pero tenía la lengua tan reseca que se le había pegado al paladar y no podía decir una palabra.

El silencio de su compañero era siniestro. Pronto Ichabod supo la razón. Volteó a ver a la gigantesca figura y se paralizó de miedo pues ese hombre no tenía cabeza.

Su horror aumentó al observar que la cabeza que el jinete debería haber llevado sobre los hombros se encontraba sobre la silla, delante de él. El terror se convirtió en desesperación.

Le dio una lluvia de puntapiés y de fustazos a su caballo con la esperanza de dejar atrás al indeseable acompañante. Pero el espectro avanzó a la misma velocidad. Allí iban los dos, disparados, haciendo saltar piedras y sacando chispas a cada salto. La ropa de Ichabod revoloteaba por el aire mientras él extendía su cuerpo largo y flaco sobre la cabeza del caballo, ansioso por escapar.

Cuando llegaron al camino que doblaba hacia Sleepy Hollow; *Pólvora*, que parecía poseído por un demonio, decidió desviarse por el sendero opuesto, ladera abajo, camino hacia la fatídica iglesia.

Cuando iban a la mitad del camino, la cincha empezó a abrirse y la silla, a deslizarse por debajo de Crane. Pudo salvarse de la caída deteniéndose del cuello del viejo animal. La silla cayó al suelo y oyó cómo la pisoteaba el caballo de su perseguidor. Por un momento pensó

en el enojo de Hans van Ripper, pues aquella era su montura de paseo de los domingos,
pero reflexionó en que no tenía tiempo para
preocuparse por tonterías. El fantasma estaba
encima y a Ichabod le costaba mucho trabajo
mantenerse sentado.

El reflejo trémulo de una estrella plateada en
el agua le dio esperanzas de que el puente de
la iglesia estuviera cerca. Muy pronto vio las
paredes de la iglesia resplandeciendo entre los
árboles.

"Si logro cruzar el puente —pensó Ichabod—
estaré a salvo." Sin embargo, oyó la respiración
del corcel negro en su espalda, incluso creyó
sentir su aliento caliente. Una patada todavía
más fuerte en las costillas de *Pólvora* obligó a
éste a meterse en el puente. Las tablas resona-
ron y el maestro llegó hasta el lado opuesto.

Ichabod se volvió para comprobar si su
perseguidor, como se contaba, se desvanecía
como un relámpago de fuego y azufre. Pero
no fue así; por el contrario, el fantasma se
alzó sobre los estribos para arrojarle su propia
cabeza. Ichabod intentó eludir el golpe, pero

fue demasiado tarde. Aquella masa se estrelló contra su cráneo con un golpe tremendo que lo derribó. Tirado en el piso, se dio cuenta de cómo *Pólvora*, el caballo negro y el jinete fantasma pasaban de largo como un torbellino.

Plática en Nueva York

A la mañana siguiente, el viejo *Pólvora* fue encontrado sin su silla y con las riendas entre las patas, pastando tranquilamente en las tierras de su dueño.

Ichabod no apareció a la hora del desayuno ni a la del almuerzo. Los niños se reunieron en la escuela y lo esperaron en la orilla del arroyo, pero el maestro no llegó. Hans van Ripper comenzó a sentir una cierta inquietud por el destino tanto del pobre Ichabod como de su silla de montar.

Comenzaron las averiguaciones y después de una diligente investigación fueron encontradas sus huellas.

En una parte del camino, que conducía a la iglesia, estaba la silla pisoteada en la tierra; las huellas de los cascos de los caballos que la rodeaban eran profundas, señal de una velocidad endemoniada.

Del otro lado del puente hallaron el sombrero de Ichabod, y cerca de éste una calabaza destrozada. Se rastreó el arroyo, pero no encontraron el cuerpo del maestro. Hans van Ripper revisó los efectos personales de Crane, pero tampoco encontró respuesta al misterio.

El extraño suceso dio lugar a un sinfín de teorías. Grupos de gente curiosa se reunieron en el cementerio, en el puente y en el lugar donde habían sido encontrados el sombrero y la calabaza. Se habló del jinete sin cabeza y se comparó la historia con los sucesos del caso actual. Hubo muchas coincidencias.

Los habitantes de Sleepy Hollow llegaron a la conclusión de que Ichabod había sido secuestrado por el jinete sin cabeza.

Como Crane era soltero y no le debía nada a nadie, nadie se preocupó más por él. La escuela fue trasladada a un sitio diferente del valle y otro maestro ocupó su lugar.

Un viejo granjero, que estuvo de visita en Nueva York varios años después, contó esta historia y dijo que Ichabod Crane todavía estaba vivo, que dejó Sleepy Hollow en parte por

el temor a los fantasmas y al mal carácter de Hans van Ripper, y en parte por el rechazo de Katrina.

Afirmó el granjero que el maestro se fue a un lugar alejado de allí y que siguió enseñando mientras estudiaba Leyes. Luego le informaron que Brom Bones, poco tiempo después de la desaparición de su rival, se casó con la bella Katrina, y que cuando se mencionaba el tema de la calabaza, él estallaba en carcajadas. Todo esto generaba sospechas entre la gente de la región que llegó a pensar que el joven sabía mucho más de lo que parecía sobre la historia de esa noche.

Sin embargo, en las noches de invierno, las viejas señoras de la comarca, quienes son los mejores jueces en estos asuntos, sostienen hasta hoy que Ichabod desapareció por fenómenos sobrenaturales.

Tras este hecho, la gente sintió más miedo y se negó a pasar por el puente que lleva a la iglesia y al cementerio. Tal vez, por esta razón, en los últimos años se cambió el camino y ahora se llega al valle por otra parte.

La escuela también dejó de usarse, por lo que pronto quedó en ruinas, pues se decía que estaba poseída por el fantasma del desdichado maestro.

Los campesinos, camino a casa, al pasar por el lugar, con frecuencia creen escuchar la voz de Ichabod Crane entonando un salmo melancólico en la soledad de Sleepy Hollow.

Esta edición se imprimió en Agosto 2015. Impre Imagen
José María Morelos y Pavón Mz 5 Lt 1 Ecatepec Edo de México.